# MES PARENTS SE SÉPARENT OU DIVORCENT:
## Qu'est-ce que ça veut dire pour moi ?

# Table des matières

# Note à l'intention des parents et des tuteurs

Ce livret a deux objectifs : aider les enfants âgés de neuf à douze ans à apprendre quelques notions de base du droit de la famille et leur donner une idée des démarches que leurs parents pourraient entreprendre quand ils se séparent.

Il vise également à aider les enfants à comprendre que leur réaction émotive au divorce de leurs parents est normale. Ce livret encourage les enfants à parler de leurs inquiétudes à des personnes en qui ils ont confiance — leurs parents, leurs grands-parents, un oncle, une tante, un ami de la famille, un voisin ou une personne de leur église, leur synagogue ou leur mosquée.

Le niveau de langue utilisé et les activités que l'on propose sont adaptés aux enfants. Toutefois, certains pourraient avoir besoin d'aide pour lire le livret.

D'autres pourraient vouloir qu'on les aide. Ils pourront vouloir qu'un adulte en qui ils ont confiance les guide tout au long de leur lecture — pour les aider à se familiariser avec des notions juridiques importantes et à surmonter au besoin leur sentiment de perte, leur colère, leur confusion ou leur anxiété.

Ce livret est conçu pour être lu d'une couverture à l'autre ou par chapitre. Les enfants peuvent lire seulement les chapitres qui les intéressent, puis au besoin revenir en arrière pour lire les chapitres précédents.

Puisque cette publication s'adresse aux enfants, de nombreux renseignements techniques et juridiques ont été laissés de côté. On y trouve uniquement des renseignements très généraux, car le droit de la famille peut être un sujet complexe, et quelques-uns de ses aspects sont différents selon les provinces et les territoires du Canada.

On trouve, vers la fin du livret, une section contenant d'autres sources de renseignements et de soutien. Cette liste aidera enfants et adultes à obtenir des renseignements supplémentaires.

# Introduction

Tes parents ont décidé de se séparer. Tu te poses probablement beaucoup de questions. « Qu'est-ce que cela signifie pour moi ? », « Est-ce que j'ai encore une famille ? », « Est-ce que je vais toujours me sentir aussi mal ? », « Est-ce que quelqu'un m'écoute ? »

Tu n'es pas seul. Beaucoup d'autres enfants vivent une situation semblable et se posent les mêmes questions que toi.

> « Le divorce, c'est une question de **droit** et **d'émotions**. »

Au Canada, le droit de la famille est un peu différent dans chaque province et dans chaque territoire. C'est pourquoi les renseignements que tu vas lire ici sur la **loi**\* et sur le **système juridique**\* sont très généraux. Regarde à la fin du livret : tu y trouveras une liste de livres et d'adresses Internet ainsi que d'autres renseignements utiles. Tu peux aussi demander à quelqu'un de t'aider à trouver les réponses dont tu as besoin. Les termes juridiques sont expliqués à la fin.

Ce livret va aussi te renseigner sur ce que tu penses et ressens peut-être. Des histoires courtes te permettront de découvrir ce que d'autres enfants ont dû traverser quand leurs parents se sont séparés. Ces histoires ne sont pas comme celle de ta famille, parce que chaque famille est différente. Cependant, elles t'aideront peut-être à comprendre tes propres émotions.

Vers la fin du livret, il y a des activités que tu peux essayer de faire. Choisis celles qui, selon toi, pourraient t'aider. Essaie-les. Tu les trouveras peut-être même amusantes.

Ce livret contient beaucoup d'information. Si tu ne sais pas par où commencer, demande à une personne en qui tu as confiance (tes parents, un membre de ta famille, ou même un enseignant) de le lire avec toi.

Prends le temps de le lire et de réfléchir à ce que tu as lu. Si tu veux, tu peux en lire une partie maintenant, et lire le reste plus tard. C'est toi qui décides.

Vas-y à ton rythme. Si tu as des questions ou si quelque chose t'inquiète ou te fait de la peine, il est bon que tu en parles à quelqu'un en qui tu as confiance. Mais peut-être décideras-tu que ce n'est pas une bonne idée pour l'instant. Tu peux attendre et en parler à quelqu'un quand tu seras prêt.

# RAPPELLE-TOI...

- Ta famille a changé, mais tu fais toujours partie d'une famille.
- Tes parents ne se séparent pas à cause de toi.
- Tu n'as pas à choisir entre tes parents simplement parce qu'ils ne vivent plus ensemble.
- Il est normal que tu sois triste ou en colère après la séparation de tes parents.
- Parles-en à quelqu'un en qui tu as confiance.
- Tu n'es pas seul; beaucoup d'autres enfants vivent une situation semblable.
- Tu as peut-être des amis dont les parents sont séparés. Ton expérience ne sera pas tout à fait la même que la leur, parce que personne n'est comme toi. Tu es unique. Tes pensées et tes émotions sont importantes.
- Et rappelle-toi : ce que tu penses, ça compte.

# Chapitre un

## Tout change

# La famille

Les familles sont différentes partout dans le monde. Elles ont diverses tailles et diverses formes. Peu importe à quoi ressemble ta famille, c'est la tienne et elle est importante pour toi. Lorsque de gros changements surviennent dans une famille, tous les membres sont touchés, toi y compris.

# Ce que dit la loi

La séparation* et le divorce* sont des changements.

**Mais certaines choses ne changent pas :** tes parents t'aiment toujours et ils doivent continuer de s'occuper de toi. Ils vont continuer de t'aimer, de prendre des décisions au sujet de l'école que tu fréquentes et de tes activités après l'école et de t'emmener chez le médecin si tu es malade.

Si tes parents étaient mariés, ils doivent demander à un juge de leur accorder un divorce. Après le divorce, ils ne seront plus mariés l'un à l'autre.

Après le divorce, un de tes parents, ou les deux, peut se remarier ou rencontrer quelqu'un avec qui il peut décider d'habiter. Si cela arrive, tu pourrais devenir membre d'une nouvelle famille. Mais malgré tous ces changements, tes parents demeureront toujours tes parents et ils doivent s'occuper de toi.

Une séparation signifie que tes parents vivent dans des endroits différents — des maisons différentes, des appartements différents, parfois des villes différentes, des provinces différentes ou même des pays différents.

Peu importe où ils vivent, ils devront décider comment ils s'occuperont de toi.

Il y a plusieurs moyens pour tes parents de décider comment ils s'occuperont de toi. Peu importe la façon dont ils y parviennent, ils devront décider du lieu où tu vivras et peut-être ton horaire, déterminer qui paiera quoi, qui t'emmènera faire du sport, qui signera tes bulletins scolaires, qui ira te chercher à l'arrêt d'autobus et qui restera avec toi si tu es malade. Ces décisions sont généralement mises par écrit dans une entente parentale* ou bien elles peuvent faire partie d'une ordonnance* rendue par un juge*.

Beaucoup de termes sont utilisés dans les ententes parentales et les ordonnances. Dans certaines provinces et certains territoires, on utilise des termes tels que garde*, accès*, *droit de visite*, *soin et surveillance*, *tutelle*, *temps parental* et *contacts personnels*. Chacun de ces termes a sa propre signification. Dans ce livret, nous utiliserons les termes *garde* et *accès*, parce que ce sont ceux qui sont utilisés dans la *Loi sur le divorce*.

Pourquoi les chats ne veulent-ils pas sortir ?
Parce qu'il fait un temps de chien.

9

**Ce qui ne changera pas** non plus après la séparation de tes parents, c'est qu'ils seront toujours responsables des dépenses liées à tes besoins — ta nourriture, tes vêtements, l'endroit où tu habites. Cela signifie que tes parents devront trouver un moyen de payer toutes ces dépenses, même s'ils ne vivent plus ensemble. On appelle pension alimentaire* l'argent que l'un de tes parents verse à l'autre pour l'aider à prendre soin de toi.

Au Canada, peu importe si tes parents étaient mariés ou non, s'ils vivaient ensemble ou dans deux endroits différents, il existe des lois qui permettent de s'assurer que la pension alimentaire est versée. Il arrive qu'un parent ne verse pas la pension alimentaire comme il se doit. Cela peut entraîner des problèmes. Il existe des bureaux spéciaux un peu partout au Canada qui peuvent aider tes parents à régler un tel problème. Tu n'as pas à t'en occuper, ce sont tes parents qui doivent le faire. Tu n'as pas à t'inquiéter à ce sujet.

## Le juge

**Il se peut que tes parents doivent demander de l'aide à un juge** s'ils n'arrivent pas à conclure une entente parentale ni à s'entendre au sujet du montant de la pension alimentaire. (Tu n'auras probablement pas besoin de te présenter devant un juge; la plupart des enfants n'ont pas besoin d'y aller).

Avant d'aller voir le juge, tes parents peuvent chacun faire appel à un avocat qui leur donnera des conseils et qui préparera les documents qu'ils devront présenter au

SUITE À LA P.12 ▷

10

# L'histoire de Léa

Le père de Léa est retourné dans le Nord quand elle avait 8 mois. Depuis ce temps, Léa et sa mère vivent sans lui.

Son père est parti depuis si longtemps que Léa se souvient seulement de sa vie avec sa mère. Son père envoie de l'argent pour les aider à payer le loyer, la garderie pendant que sa mère travaille ainsi que la nourriture, les vêtements et tout ce dont Léa a besoin,

les soins dentaires par exemple. Léa voit son père tous les deux ou trois mois. Si elle s'ennuie de lui, elle peut l'appeler. Elle est toujours contente lorsqu'il l'appelle. Mais les choses se compliquent quand il n'envoie pas l'argent à temps et que sa mère commence à s'inquiéter. Heureusement pour tous, sa mère et son père réussissent à régler leurs problèmes ensemble.

juge. Les avocats spécialisés en droit de la famille aident les parents à trouver des solutions à leurs problèmes de séparation et de divorce. Ces avocats ont reçu une formation pour comprendre le droit de la famille et aider les parents à comprendre comment le droit de la famille les touche.

Les documents présentés au juge peuvent porter sur un seul sujet ou sur plusieurs : procédure de divorce, ou façon de conclure une entente parentale pour toi et tes frères et sœurs, par exemple. Ils peuvent porter sur l'argent et sur d'autres questions que tes parents devront régler, maintenant qu'ils ne vivent plus ensemble.

Les avocats peuvent aider tes parents à préparer des affidavits*, qui décrivent ce qui s'est passé dans ta famille. Chacun de tes parents décrit la situation selon son propre point de vue.

**Demander l'aide du juge peut prendre beaucoup de temps.** Dans la réalité, les tribunaux ne ressemblent pas du tout à ceux que l'on voit à la télévision. Par exemple, dans une petite ville, une salle située dans une église ou dans un centre communautaire peut servir de salle d'audience. Peu importe à quoi ressemble la salle d'audience, il y a des règles à respecter.

La plupart du temps au Canada, quand tes parents se présentent devant un tribunal la première fois, ils rencontrent le juge. Parfois, la première étape de la procédure est une rencontre entre tes parents et un spécialiste du droit de la famille. Ces spécialistes ont des titres différents : *médiateur, conseiller, agent de règlement des différends*. Peu importe le nom qu'on leur donne, ces personnes tentent d'aider tes parents à conclure une entente au sujet de leur séparation ou de leur divorce.

Si tes parents ne peuvent toujours pas s'entendre après avoir rencontré ce spécialiste, leurs avocats parlent au juge. C'est alors le juge qui prend les décisions finales au sujet de l'entente parentale, du montant de la pension alimentaire et de l'endroit où tu vivras. Ces décisions sont écrites dans l'ordonnance. Le juge ne prendra peut-être pas la décision que tu souhaites, mais il la prendra en tenant compte de ce qui, selon lui, est le mieux pour toi. C'est ce qu'on appelle, dans la loi, ton intérêt*.

Parfois, si les parents ne peuvent s'entendre, le juge peut demander qu'une personne fasse une évaluation de ta famille. Cette personne fera ensuite une recommandation au juge en tenant compte de ton intérêt. Généralement, ces recommandations sont faites par des évaluateurs*, des travailleurs sociaux*, des psychologues* ou des psychiatres*. Ces personnes voudront peut-être te parler. Cela peut te donner l'occasion de parler à quelqu'un de ce que tu ressens.

# RAPPELLE-TOI...

- Tes parents ne peuvent plus vivre ensemble, **mais ils t'aiment encore.**

- Tes parents peuvent avoir de la difficulté à se parler et à s'écouter après leur séparation.

- **Ce n'est pas ta responsabilité** de les rendre heureux.

- Il peut y avoir de la confusion et des disputes autour de toi au cours de cette période.

- Tu peux avoir l'impression que tout cela arrive à cause de toi, mais **les vrais problèmes sont entre tes parents.**

# Chapitre deux

## Trouver une solution pour toi

# L'histoire de Samuel

Tous les mardis et jeudis soir de l'hiver, le père de Samuel l'emmenait jouer au hockey. Son père ne parlait jamais beaucoup.

Mais si Samuel ne jouait pas bien, son père lui lançait des insultes plus rapidement qu'on lance une rondelle. Cela bouleversait Samuel.

Sur le chemin du retour, il avait hâte de descendre de la voiture. Il écoutait les quelques mots que son père avait à lui dire et il allait s'enfermer dans sa chambre en claquant la porte. Puis, c'était le silence. Un soir, après que cela se soit produit, Samuel a remarqué que sa mère ne riait plus et ne parlait plus beaucoup depuis des mois.

Quelques semaines plus tard, la mère de Samuel lui a annoncé qu'elle quittait son père, et qu'elle et Samuel allaient emménager avec ses grands-parents maternels. Samuel allait s'ennuyer de son père, mais pas des insultes.

Tout en faisant sa valise, Samuel se demandait ce qui allait arriver à son chat Grisou. Son père oubliait toujours de le nourrir. Samuel a donc emmené son chat avec lui chez ses grands-parents.

La mère de Samuel lui a expliqué qu'elle et son père allaient commencer une médiation* pour tenter de rendre leur séparation aussi facile que possible pour Samuel. Au cours des trois mois suivants, ils ont rencontré à plusieurs reprises une personne qui s'occupe de médiation. Samuel a accepté de la rencontrer une fois et lui a expliqué comment il voyait la situation et comment il ressentait tout cela.

Après quelques semaines de médiation, le père de Samuel a recommencé à l'emmener au hockey. La situation s'est améliorée, son père ne l'insulte plus s'il ne marque pas de but. Samuel apprécie maintenant de nouveau le temps qu'il passe avec son père.

15

# Qu'est-ce que la médiation ?

**Pourquoi les parents de Samuel sont-ils en médiation ? Quels résultats espèrent-ils obtenir ?**

Si tes parents ne peuvent pas s'entendre sans se disputer, ils peuvent aller en médiation plutôt que devant un juge ou bien après être allés voir le juge. Leurs avocats ou le juge peuvent leur proposer la médiation.

La médiation peut aider tes parents à mieux communiquer entre eux et à prendre les bonnes décisions. Mais toi dans tout ceci ? Tu ne participeras probablement pas aux séances de médiation avec tes parents, mais tu peux leur parler de ce que tu ressens et de ce que tu voudrais. Parfois, on s'arrangera pour que tu puisses parler avec le médiateur de la façon dont tu vis la situation.

Si la médiation ne fonctionne pas, tes parents devront probablement demander à un juge de prendre une décision.

# Maman quitte papa et tout le monde se fait aider

La mère de Jonathan et de Camille a quitté la maison soudainement, et depuis, les deux enfants ont de la difficulté à dormir. Leur père a appelé une conseillère et lui a demandé de rencontrer les enfants. Il lui a expliqué que son épouse et lui s'étaient séparés. La conseillère a accepté de rencontrer les enfants ainsi que leur père. Elle a également demandé à rencontrer leur mère, pour avoir un aperçu complet de la situation. Après avoir rencontré la conseillère, séparément, les deux parents ont accepté de travailler avec elle pour déterminer quel type d'entente parentale serait le mieux pour les enfants.

Au cours des séances, la conseillère a demandé à Jonathan ce qu'il aimait faire après l'école; il lui a parlé de sa musique. Elle lui a demandé s'il dormait bien et s'il mangeait à sa faim. Jonathan a répondu : « Papa cuisine bien, c'est le meilleur cuisinier, mais je m'ennuie des biscuits de maman. Elle en faisait chaque année à Noël. Qu'est-ce qui va arriver à Noël, maintenant ? Est-ce que je vais voir maman ? Je m'ennuie d'elle. »

« Quand je vais voir tes parents, je leur expliquerai à quel point tu t'ennuies de ta maman, et je leur suggérerai que tu la voies très bientôt », lui a promis la conseillère.

Peu après, la conseillère a proposé aux parents que Jonathan et Camille vivent avec leur père durant la semaine et qu'ils voient leur mère une fin de semaine sur deux. Les parents ont accepté cette proposition. Leurs avocats ont rédigé une ordonnance sur consentement* qu'un juge devra examiner. Maintenant qu'un plan a été mis en place, les choses vont beaucoup mieux pour Jonathan et Camille.

# Chapitre trois

## Des décisions, des décisions et encore des décisions

# Gabrielle entre les deux

Les parents de Gabrielle n'ont jamais été d'accord sur rien. Son père aime la musique rock, sa mère préfère le country. Son père répare et vend des motos et sa mère gère une boutique. Ils se disputent à propos de tout. Lorsqu'ils se sont séparés, Gabrielle a espéré que les disputes allaient cesser.

Ses parents ont rédigé eux-mêmes leur entente de séparation. Pas de juge, pas d'histoire. La mère de Gabrielle a acheté une maison non loin de l'école, et Gabrielle vit une semaine chez sa mère, une semaine chez son père.

Après la séparation, son père a gardé l'ancienne maison et a ouvert un atelier de réparation de motocyclettes à l'arrière. Gabrielle adore aller dans l'atelier avec lui.

Un jour, le père de Gabrielle l'a laissé conduire la Harley toute seule dans les chemins de terre. Lorsque Gabrielle, tout excitée, a raconté son exploit à sa mère, celle-ci s'est fâchée : « Mais quel genre de père est-il ? Tu aurais pu te tuer ! »

La mère de Gabrielle était tellement fâchée qu'elle a appelé son avocat pour tenter d'obtenir la garde exclusive* de sa fille.

Cette fois, le père et la mère de Gabrielle ont rencontré le juge et ont pris des mesures pour que Gabrielle puisse parler à un conseiller. Cela a fait du bien à

Gabrielle de parler à quelqu'un, de pouvoir expliquer à quel point sa mère est stricte et son père est *cool*. Elle en a assez d'être au centre de leurs disputes.

« Je veux faire de la course de moto quand je serai grande. Je devrais vivre avec mon père, parce qu'il me laisse faire ce que je veux. Je ne veux pas faire de peine à ma mère, mais elle est trop sévère », a-t-elle dit au conseiller.

Le conseiller a d'abord rencontré la mère de Gabrielle, puis son père, et il a discuté longuement avec Gabrielle. Enfin, les parents de Gabrielle ont revu le juge. La mère de Gabrielle n'a pas obtenu la garde exclusive de sa fille. Gabrielle n'est pas non plus allée vivre exclusivement chez son père.

L'entente de garde n'a pas changé, mais le juge a demandé aux parents de Gabrielle de réfléchir attentivement à la façon dont ils traitent leur fille. Le juge leur a demandé de se faire aider pour cesser de placer Gabrielle au centre de leurs disputes.

Après un certain temps, les parents de Gabrielle ont réussi à penser à ses émotions au lieu de penser seulement aux leurs. Gabrielle a été soulagée de pouvoir profiter du temps qu'elle passe avec son père et avec sa mère.

# Marie n'est pas seulement là pour garder les enfants

Peu après que les parents de Marie ont divorcé, son père s'est marié avec Carole. Il habite avec elle et ses deux enfants, qui sont plus jeunes que Marie. Celle-ci habite chez sa mère. La première année après la séparation, le père de Marie passait du temps seul avec elle, même si ce n'était qu'une promenade à pied dans le quartier. Marie avait 10 ans à l'époque. « Je serai toujours là pour toi, peu importe ce qui va arriver », lui disait son père.

Quand son père lui a dit que Carole et lui allaient avoir un bébé, Marie s'est inscrite à un cours de garde d'enfants à l'école. Elle était très contente d'avoir enfin une sœur.

Cependant, les choses ont changé après la naissance de sa petite sœur. Marie ne voyait plus son père seul. « Tout reviendra à la normale, ma chérie. Donne-nous un peu de temps. Ève est mignonne, n'est-ce pas ? Elle a seulement besoin qu'on lui accorde plus de temps pour le moment », lui disait son père.

Quand Marie a eu 12 ans, les choses ont encore changé. Chaque fois qu'elle allait chez son père, il lui disait que Carole et lui avaient besoin de passer du temps seuls, sans les enfants. Au début, Marie était toute fière de rester seule avec les petits. Mais après trois mois passés à garder les enfants, sans plus jamais de temps avec son père, elle en a eu assez. Son père ne savait même pas que l'équipe de soccer dont elle fait partie était la meilleure. Il n'avait plus le temps de parler avec elle.

La mère de Marie a remarqué que sa fille ne voulait plus aller chez son père. « Nous pouvons sûrement faire quelque chose, ma puce », a-t-elle dit à Marie quand celle-ci l'a mise au courant. Sa mère a appelé son père et lui a fait part des préoccupations de Marie. Le père de Marie veut que sa fille soit heureuse; il a donc accepté de faire quelques changements. Marie est très heureuse que tout se soit finalement réglé et de pouvoir passer du temps seule avec son père.

À 12 ans, ou même à 14 ans, tu ne décides pas de l'endroit où tu vas habiter, même si ce que tu penses et ce que tu ressens va probablement être pris en considération.

Comme nous l'avons déjà expliqué, le juge doit tenir compte de ce qui est le mieux pour toi. Il rendra sa décision dans une ordonnance.

C'est une bonne chose que tu n'aies pas à choisir entre tes parents. Quand tu es jeune, tu peux souhaiter que tout se passe d'une certaine façon, mais en grandissant, tu souhaiteras peut-être que ce soit différent.

**Avant de se séparer, tes parents étaient deux personnes distinctes.** Ils le sont toujours. Ils ont peut-être des idées différentes sur la façon de t'élever. Et toi, tu préfères peut-être les règles imposées par un de tes parents, mais il n'y a pas seulement les règles. Tes parents t'aiment, même s'ils ne pensent pas de la même façon. Tu n'es pas obligé de choisir entre les deux et tu ne dois pas te sentir coupable.

Ce qui importe, c'est de déterminer où tu vas vivre et ce qui est le mieux pour toi et pour ta famille. Et rappelle-toi : après un certain temps, tes parents peuvent demander au juge de modifier l'ordonnance, si tes besoins sont différents.

## Conseillers ? Évaluateurs ? ils font quoi au juste ?

Si tes parents ne peuvent pas s'entendre au sujet de l'endroit où tu vas habiter, le juge peut ordonner une évaluation. Elle permet au juge de se faire une meilleure idée de ta vie avec chacun de tes parents. L'objectif est de faire en sorte que le juge prenne la meilleure décision pour toi.

Tu pourras peut-être parler avec un professionnel comme un psychologue à quelques reprises. Beaucoup d'entre eux aiment rencontrer plusieurs fois les enfants pour bien comprendre comment la famille fonctionne. Il va te poser des questions et te demander de participer à des activités pour mieux te connaître.

Le psychologue prépare des rapports en se fondant sur ce qu'il aura appris de toi et de ta famille. Il tente d'être juste et évalue la situation dans son ensemble en tenant compte de certains éléments, par exemple :

- **les horaires de travail de tes parents;**
- **lequel de tes parents s'occupe de l'école, des sports, de tes devoirs;**
- **lequel de tes parents s'occupe de toi quand tu es malade;**
- **la façon dont tes parents se sont organisés pour s'occuper de toi;**
- **l'horaire qui convient le mieux à tous.**

J'ai 12 pattes, 8 bras et 6 jambes. Qui suis-je ?

Un menteur !

# SI ÇA NE VA PAS, DIS-LE !

À ton âge, c'est peut-être difficile de dire à un adulte que ce qu'il fait te fait de la peine.

Connais-tu quelqu'un qui pourrait t'aider, un de tes grands-parents par exemple ? Ou bien ton enseignant préféré à l'école ? Parle-lui, fais-lui part de tes idées, le plus honnêtement possible. Cette personne peut peut-être parler en ta faveur, surtout s'il peut y avoir des changements au sujet de ta garde. Tout le monde veut prendre la meilleure décision pour toi.

Si tu dis à tes parents ce qui ne va pas et ce que tu ressens, tu leur donnes la possibilité de changer les choses. Mais si tu crois que ce n'est pas une bonne idée de parler à un de tes parents, n'oublie pas que tu peux toujours parler à quelqu'un en qui tu as confiance. Ou bien, tu as peut-être besoin d'attendre avant d'en parler.

Ensuite, le psychologue suggérera au juge chez quel parent tu devrais habiter et à quelle fréquence tu verras ton autre parent.

Si tu as un frère ou une sœur, une entente adaptée à ce qui est le mieux pour lui ou pour elle ne sera peut-être pas la même que la tienne. S'ils ont 17 ans et travaillent à temps partiel, leurs besoins seront probablement différents des tiens. Aussi, à mesure que tu grandis, il faudra peut-être changer l'entente à ton sujet.

**Toutes ces rencontres peuvent prendre du temps — peut-être même plusieurs mois. Pendant toute cette période d'attente, essaie de ne pas t'inquiéter.**

Si la situation change, les ententes peuvent être modifiées. Par exemple, quand tu seras plus vieux, tu ne voudras peut-être plus aller passer un mois au chalet de tes grands-parents, ni camper avec ton oncle, ta tante et l'un de tes parents. Tu voudras peut-être passer du temps avec tes amis ou te trouver un travail d'été.

# Les jumeaux en ont assez des valises

Après leur séparation, les parents des jumeaux, Noémie et Félix, voulaient tous les deux qu'ils habitent chez eux. Comme ils habitaient tout près l'un de l'autre, ils ont décidé que les jumeaux passeraient une nuit chez leur père et une nuit chez leur mère. Celle-ci aide l'équipe de balle molle à s'entraîner et leur père les emmène au cours d'arts plastiques au centre communautaire. Cette situation valait mieux pour eux que d'être séparés, comme les jumelles dans le film *L'Attrape-parents*, où chacune vivait avec l'un des parents. Noémie et Félix sont proches et ne peuvent imaginer être séparés l'un de l'autre. Malgré tout, ils ont fini par en avoir assez de l'entente que leurs parents avaient conclue.

« Nous avons nos valises, nos livres d'école et notre chien Copain. Nous avons vraiment mal aux pieds à force de tout trimbaler tous les jours d'une maison à l'autre » se plaignait Noémie. Félix était d'accord avec elle.

Ils n'avaient plus le temps de voir leurs amis. Noémie avait peur de ne plus pouvoir jouer à la balle molle, parce qu'elle oubliait souvent où elle avait laissé son équipement. Allait-on la renvoyer de l'équipe ? Félix perdait toujours ses livres, ce qui lui causait des problèmes à l'école. Après avoir remarqué que quelque chose n'allait pas, l'enseignant de Félix en a discuté avec le père de celui-ci. Puis il a parlé à la mère du garçon. Finalement, les parents ont conclu qu'il serait plus simple pour tout le monde que les jumeaux passent une semaine chez l'un et une semaine chez l'autre.

# Chapitre quatre
## Vivre dans deux maisons

# Thomas a fini par s'y faire

Les parents de Thomas se sont séparés peu après son anniversaire. Il ne les avait jamais vus se disputer. « Le plus difficile, c'est quand on l'apprend, dit-il maintenant, on ne sait pas quoi faire ou quoi dire. »

« Quand j'allais chez mon père je m'ennuyais de ma mère, et quand j'étais chez ma mère, je m'ennuyais de mon père. Au début, on est tellement triste qu'on se met à pleurer. Ma mère me demandait comment je me sentais, mais j'étais trop en colère ou trop triste pour répondre. »

Cela s'est passé il y a deux ans. Le temps a arrangé les choses. Thomas dit que c'est différent, maintenant. « J'ai deux maisons avec des choses différentes aux deux endroits. Je collectionne les animaux en peluche, mais je les laisse chez ma mère. Chez mon père, je collectionne les DVD et les jeux sur ordinateur. Des fois, c'est *cool* d'avoir deux maisons et deux fêtes d'anniversaire. »

« Tout est différent. Mon père se marie l'été prochain. Le nouvel ami de ma mère est drôle. Il joue aux cartes avec moi et il est bon. La nouvelle femme de mon père ne joue pas beaucoup avec moi. »

Aujourd'hui, Thomas voit des bons côtés dans ses deux maisons. Quand il trouve trop difficile de vivre dans deux maisons avec des règles différentes, il se dit ou il dit à sa petite sœur Laurence « On finit par s'y habituer. »

Tes parents ont peut-être conclu une entente qui fait en sorte que tu as deux maisons — comme des milliers d'autres enfants au Canada. Ce n'est pas toujours facile. Et il te faudra peut-être du temps pour t'habituer aux changements qui surviennent.

Parfois, les parents se séparent quand les enfants sont si petits que ceux-ci ne se souviennent pas d'avoir vécu autrement. Jasmine a de la chance, parce que tous les membres de sa famille vivent près les uns des autres. Elle peut encore voir souvent ses grands-parents, ses oncles, ses tantes et tous les autres membres des familles de ses parents. Elle peut même aller à pied voir son père dans sa nouvelle maison.

Souvent, si les deux parents vivent près l'un de l'autre, les enfants vivent avec leurs deux parents, mais dans des maisons différentes. Après une séparation ou un divorce, il se peut que tu aies à déménager.

La plupart des enfants veulent que leurs parents fassent partie de leur vie. En grandissant ils veulent avoir leur place dans leur maison — peu importe si leurs parents vivent seuls, s'ils se remarient et ont d'autres enfants ou s'ils retournent habiter chez leurs propres parents.

**RAPPELLE-TOI...**

Peu importe l'entente qu'ils ont conclue, tes parents sont toujours tes parents.

# Tout s'arrange

Pendant la semaine, Jasmine habite chez sa mère et son nouveau conjoint. Son père travaille à l'extérieur de la ville. Elle va chez lui chaque fin de semaine. « Cela ne me dérange pas, parce que je sais que je vais voir mes deux parents. C'est comme ça depuis aussi longtemps que je me rappelle, explique Jasmine. Avant, j'apportais ma valise à l'école. Maintenant, je préfère laisser des affaires dans les deux maisons; c'est plus facile comme ça. »

Même quand elle était toute petite, Jasmine connaissait toujours son horaire. Elle aimait savoir où elle s'en allait et quand elle y serait. « Quand j'étais petite, ma mère m'obligeait à aller chez mon père, même si je voulais rester avec elle. Si elle ne l'avait pas fait, je ne connaîtrais pas mon père. Alors, je suis contente qu'elle l'ait fait. »

# Chapitre cinq

## Que se passe-t-il s'il y a de la violence?

# La famille d'Antoine trouve un refuge

Antoine, 12 ans, a toujours pris soin de ses deux petites sœurs. Il est très fier d'être l'aîné. Lorsque ses sœurs vont bien, il se sent bien lui aussi.

Un soir, quand son père est rentré à la maison, Antoine a remarqué qu'il avait bu. Sa mère a fait sortir Antoine et ses sœurs de la maison, en leur proposant d'aller jouer chez le voisin. En sortant, Antoine entendait son père crier. Julie, la plus jeune, s'est mise à pleurer et Zoé à sangloter.

Après une heure, Antoine est rentré à la maison avec ses sœurs. Il les a mises au lit et il est resté avec elles jusqu'à ce qu'elles s'endorment. Puis la dispute s'est aggravée; Antoine s'inquiétait beaucoup, sa mère semblait être en danger. Il est donc sorti sans se faire remarquer et s'est rendu chez le voisin, d'où il a appelé le 911. Quand les policiers sont arrivés, son père était parti. Ils ont emmené Antoine, ses sœurs et leur mère dans un endroit où ils seraient en sécurité jusqu'à ce que la mère décide ce qu'elle allait faire. Antoine sait que les choses vont peut-être être difficiles pendant un certain temps, mais il est soulagé de ne plus avoir à s'inquiéter pour la sécurité de sa mère.

Malheureusement, Antoine n'est pas le seul enfant à vivre la violence chez lui — coups, cris, coups de poing et d'autres incidents malheureux encore.

## LA VIOLENCE EST INACCEPTABLE !

**Qu'est-ce que cela veut dire ?** Certaines formes de violence, comme le fait de frapper quelqu'un, ou de menacer de lui faire du mal ou de le tuer, sont contraires à la loi. La plupart des formes de violence physique sont considérées comme des « voies de fait », ce qui est un crime au Canada.

La violence sexuelle est également contraire à la loi. Même si ça se produit entre des personnes mariées — c'est un crime. On parle de violence sexuelle envers les enfants quand un adulte, un adolescent ou un enfant plus vieux se sert d'un jeune à des fins sexuelles. Si un membre de ta famille ou un ami de la famille te fait du mal ou te fait des attouchements sexuels, parles-en à un adulte en qui tu as confiance.

**Tu dois te faire aider. Tu as le droit d'être en sécurité. Tu as le droit de vouloir te faire aider.**

Demande à quelqu'un de t'aider — un enseignant, un voisin, un membre de ta famille (un grand-parent, une tante ou un oncle). Si des policiers se présentent chez toi, essaie de leur en parler.

Les policiers veilleront à ce que personne ne soit blessé. Ils pourraient séparer tes parents le temps que l'auteur de la violence se calme.

Si quelqu'un est blessé, les policiers porteront probablement des accusations contre le parent qui a été violent ou abusif. Celui-ci devra comparaître au tribunal pénal.

Si le juge déclare le parent coupable, il peut l'envoyer en prison ou dans un endroit où on l'aidera à changer son comportement.

Il peut être difficile de savoir quoi faire quand on a des sentiments contradictoires — comme quand tu as peur de quelqu'un et que tu n'aimes pas ce qu'il fait, mais que tu l'aimes quand même. Essaie de parler de ce que tu ressens à quelqu'un qui peut t'aider à démêler et à comprendre tes émotions.

Les enfants sont parfois blessés par leurs parents ou par les gens que leurs parents fréquentent. Les adultes font parfois de mauvais choix. Ce n'est pas de ta faute. C'est leur problème. Mais si des actes de violence sont commis dans une famille, toute la famille est touchée. **La violence est inacceptable. La violence physique et sexuelle est contraire à la loi.**

## Comment la loi peut-elle aider ?

Un de tes parents peut obtenir une ordonnance* ou un engagement de ne pas troubler la paix* pour empêcher l'autre parent de s'approcher de ta famille s'il a été violent. Cela veut dire que le parent qui a été violent pourrait être obligé de se tenir loin de la maison, de ton école ou du lieu de travail de ton autre parent. Ces ordonnances sont des documents juridiques qui sont mis en place pour vous protéger, toi et ta famille.

Si le parent qui a été violent ne respecte pas l'ordonnance ou l'engagement de ne pas troubler la paix et qu'il tente d'entrer chez toi ou d'aller là où il n'a pas le droit d'aller, les policiers peuvent l'arrêter.

Ton école et le service de garde peuvent être hors de portée également. Ceux qui y travaillent seront mis au courant de l'existence des ordonnances ou des engagements de ne pas troubler la paix. Si cela peut te rassurer, tu peux leur demander s'ils sont au courant que de telles ordonnances existent.

L'objectif est de vous protéger, toi et ta famille. On veillera à prendre soin de toi et à trouver quelqu'un qui pourra t'aider. Ces moments sont difficiles pour tous.

**Est-ce que tu peux quand même voir un parent qui a été violent ?**

Il semble que les enfants réussissent mieux s'ils peuvent voir leurs deux parents régulièrement, dans un lieu sûr. Si on t'a permis de voir un de tes parents toutes les semaines, tu vas probablement pouvoir continuer de le voir. Mais si ce parent a été accusé, il faudra prendre le temps de penser à la meilleure façon de permettre l'accès (le temps que tu passeras avec ce parent).

Si le juge décide que ce n'est pas sécuritaire pour toi de voir ce parent, il pourrait interdire l'accès pendant un certain temps. Il s'agit de te protéger.

**Est-ce que tu seras obligé de voir un parent dont tu as peur ?**

Si l'un de tes parents a commis des actes violents et que tu en as peur, quelqu'un pourra peut-être t'accompagner durant la visite, qu'on appelle « visite supervisée ». Si tu ne peux pas te faire à l'idée de voir ce parent, parles-en à un conseiller ou à un travailleur social qui s'occupe de ces visites. Dis-lui comment tu te sens.

On peut organiser les visites pour qu'elles aient lieu ailleurs que chez toi, dans un centre de visites supervisées par exemple, s'il y en a un dans ta province ou dans ta collectivité. Ces centres sont sans danger; un employé reste avec toi pendant toute la visite. Tes parents ne se verront pas. Les règles sont strictes et chaque parent doit les accepter. Le parent que tu rencontreras lors de cette visite supervisée doit arriver avant toi et ton autre parent, et il ne peut pas quitter le centre avant que tu sois parti et en sécurité.

## Si tu dois aller voir le juge

Si tu es victime ou témoin de violence, tu devras peut-être aller voir un juge pour lui expliquer ce qui s'est produit. Si c'est le cas, tu iras probablement au palais de justice quelques jours avant ton témoignage. Un employé t'expliquera ce qui va se passer quand tu vas parler au juge, et t'apportera son aide.

# RAPPELLE-TOI...

- Si toi ou quelqu'un de ta famille êtes en danger ou que vous avez besoin d'aide immédiate, compose le 911. Tu peux aussi appeler le numéro d'urgence local qui se trouve habituellement au début de l'annuaire téléphonique.

- Tu peux demander à quelqu'un d'appeler le 911 pour toi.

- Dès que tu en as l'occasion, écris ce qui s'est passé ou bien dessine-le. Parle aussi ouvertement que possible de ce qui vient de se produire.

- Demande de l'aide. Tu n'es pas seul.

# Chapitre six

## Il existe toutes sortes de familles

# L'histoire de Mélodie

Tout semblait aller pour le mieux pour les parents de Mélodie, jusqu'à ce que son père se trouve un emploi dans une autre ville. La relation de ses parents s'est détériorée et son père a déménagé. Sa mère a rencontré quelqu'un d'autre qui aime bien Mélodie et sa sœur, Ariane. Mélodie était contente.

Mélodie voyait encore son père chaque fois qu'il revenait en ville. Un jour, son père est revenu vivre en ville et lui a présenté sa nouvelle amie, Janie. Janie est enceinte et le père de Mélodie va l'épouser. Mélodie aura un petit frère, et sa famille sera encore plus grande. Elle passe du temps avec sa mère et sa sœur Ariane, qui habite chez leur mère. Mélodie a sa propre chambre chez son père et elle passe du temps avec son nouveau frère et Janie.

Les familles reconstituées comme celle de Mélodie sont composées d'enfants qui vivent tous sous le même toit, mais qui n'ont pas la même mère ou le même père. Faire partie d'une famille reconstituée peut être difficile. Plus il y a de personnes dans une même pièce, plus il est difficile pour elles de s'entendre sans se disputer, n'est-ce pas ? C'est un peu la même chose dans une famille reconstituée. Ce ne sont pas deux, mais six personnes qui doivent partager la salle de bain. Les gens ne croient pas forcément aux mêmes choses, ils n'aiment pas forcément la même cuisine, ils n'ont pas la même idée au sujet de l'heure d'aller au lit, de l'école et de la discipline. Tout cela peut compliquer la vie des familles reconstituées. Il faut se donner du temps.

Un de tes parents s'est peut-être marié avec quelqu'un qui a déjà des enfants. Tu t'es soudain retrouvé avec un tas de frères et de sœurs.

Peu importe les changements qui surviennent dans la vie de tes parents, ceux-ci restent tes parents — même si tu dois partager leur temps et leur affection avec leur nouveau conjoint et avec d'autres enfants.

Parfois, des problèmes de santé, de boisson ou de drogues font en sorte que les parents ne peuvent pas s'occuper de leurs enfants. Si le fait de vivre avec eux te

Comment appelle-t-on des squelettes qui parlent ?

Des os parleurs.

# La grand-mère d'Olivier s'en mêle

Les parents d'Olivier se sont séparés quand il était tout petit. Au début, tout allait bien, mais depuis deux ans, la mère d'Olivier a commencé à avoir des problèmes de boisson. Elle boit beaucoup et lorsqu'elle est ivre, elle se met en colère et se met à crier, elle traite Olivier de tous les noms, elle le frappe. Si la grand-mère d'Olivier est là, elle s'interpose entre sa mère et lui.

Un soir qu'Olivier est arrivé chez elle très tard, sa grand-mère a décidé qu'il fallait que ça change. Séchant les larmes d'Olivier, elle lui a dit de ne pas s'inquiéter. Quand elle l'a mis au lit, elle lui a fait une promesse : « Je vais parler à ta mère moi-même. Tu vas vivre ici jusqu'à ce qu'elle règle son problème d'alcoolisme. Je t'aime. »

Depuis qu'il a emménagé chez sa grand-mère, Olivier s'ennuie de sa mère, mais il ne s'ennuie pas de la façon dont elle le traitait. Cependant, la situation s'est améliorée. Sa grand-mère l'aide à faire ses devoirs et ses notes se sont améliorées. Il s'est fait de nouveaux amis et il a commencé à jouer au soccer.

La grand-mère d'Olivier a rempli des documents qu'elle a déposés au tribunal pour devenir responsable de ses soins et de son éducation et pour obtenir le droit de prendre des décisions pour lui. Après avoir obtenu la permission du juge, c'est la grand-mère d'Olivier qui est devenu responsable de lui. Elle est devenue comme une mère pour Olivier.

fait courir un risque, on t'enverra dans un endroit sûr jusqu'à ce que la situation s'améliore. Un membre de ta famille, comme un grand-parent ou une tante, ou un organisme de services sociaux peut devenir ton tuteur.

Si ta famille ne peut s'occuper de toi, tu vas peut-être aller habiter dans une famille d'accueil ou dans un foyer de groupe où des gens qualifiés vont s'occuper de toi. L'objectif est de veiller à ce que tu sois en sécurité.

Les enfants qui vivent en famille d'accueil sont de bons enfants, comme tous les autres.

Si un ami, un enseignant ou un autre adulte constate que tes parents ne s'occupent pas bien de toi, qu'ils te font mal ou te négligent, il doit en informer un organisme. C'est la loi. On te placera en famille d'accueil seulement s'il n'y a pas d'autre solution. Cette mesure sert à te protéger. Un travailleur social parlera avec toi de ce qui se passe dans ta famille. Il parlera également de toi avec tes parents.

Si tu as une famille élargie, comme des grands-parents, des tantes ou des oncles, tu vas peut-être aller habiter chez ceux-ci. Ta tante va peut-être devenir ta mère d'accueil. De nombreux enfants vivent avec leurs grands-parents ou leur tante, qui jouent le rôle de parent auprès d'eux si leurs propres parents ne peuvent prendre soin d'eux.

## RAPPELLE-TOI...

**Il n'est pas toujours facile de vivre dans une famille reconstituée, mais cela peut également avoir de bons côtés.**

Quand des enfants sont en famille d'accueil, ce n'est pas parce qu'ils ont fait quelque chose de mal; c'est parce que leurs parents ne peuvent pas s'occuper d'eux.

# Chapitre sept

## Quand un parent déménage au loin

# La mère de Jérémie veut déménager

Christine, la mère de Jérémie, était encore étudiante à la naissance de Jérémie. Son père, Stéphane, aussi. Ils ne vivaient pas ensemble et Jérémie n'a vu son père qu'une fois ou deux. Toute la famille de Christine vit à l'extérieur de la ville et n'a jamais été d'accord avec le fait que Christine décide de garder Jérémie sans être mariée avec Stéphane. Elle ne l'a donc jamais aidée, ni encouragée.

Quand Jérémie a eu sept ans, la situation a changé. La mère de Christine a envoyé à sa fille deux billets d'avion pour que Jérémie et elle rendent visite à toute la famille à Moncton. Les grands-parents de Jérémie étaient heureux de voir leur petit-fils, et Christine était heureuse de revoir sa famille. Les grands-parents de Jérémie ont laissé entendre à leur fille que si elle revenait vivre à Moncton, ils pourraient les aider, elle et Jérémie. Tous deux voulaient rester, car leur vie serait plus facile avec l'aide de leur famille. Quand la mère de Jérémie a cherché une école pour lui, le service de garde lui a offert un emploi.

Christine et Jérémie étaient bien déterminés à déménager pour de bon à Moncton. Cependant, il y avait un problème : quand le père de Jérémie a appris qu'ils avaient l'intention de déménager, il n'était pas d'accord. Christine a dû le convaincre de modifier leur entente parentale.

SUITE ▶

Elle a demandé de l'aide au curé de son église. Celui-ci lui a proposé de parler lui-même au père de Jérémie. Quelques jours plus tard, le curé a informé la mère de Jérémie qu'ils pouvaient déménager. Il a fait appel à deux avocats pour rédiger une nouvelle entente parentale, que Christine et Stéphane ont signée, séparément.

Christine et Jérémie ont déménagé à Moncton. Ils ont le soutien de leur famille, et la vie semble leur sourire. Le père de Jérémie prévoit communiquer avec son fils par courriel. Jérémie passera une partie de l'été chez lui chaque année. Jérémie attend ce moment avec impatience.

Tout ne se passe pas toujours aussi bien que pour les parents de Jérémie. Parfois, l'un de tes parents ne veut pas que ton autre parent et toi alliez vivre loin. Si l'un d'eux se trouve un emploi à l'extérieur ou tente de refaire sa vie ailleurs, il devra en parler à ton autre parent avant de déménager.

Cela peut être difficile, particulièrement si le parent avec qui tu ne vis pas n'a pas beaucoup d'argent. Il peut s'inquiéter du fait qu'il ne te verra plus si tu vas vivre loin de lui. Si tes parents ne s'entendent pas, ils peuvent expliquer à un juge pourquoi l'un d'eux veut déménager et l'autre ne veut pas, puis laisser le juge prendre une décision.

Le juge examine les deux versions et pose des questions. Il veut savoir, par exemple, quelles seront les répercussions d'un déménagement sur ta relation avec tes parents et à quel point il sera difficile pour ton parent qui ne déménage pas de trouver l'argent dont il aura besoin pour te voir, ou bien dans quelle mesure tu es proche de ce parent.

# RAPPELLE-TOI...

Ce n'est pas toi qui décides si tu déménages ou non. Mais tu peux peut-être en parler à quelqu'un et lui dire ce que tu en penses.

# Chapitre huit

## Des pistes de solutions

# Le cadeau d'anniversaire de Chloé

Chloé, âgée de 12 ans, est vraiment triste. Ses parents se sont séparés il y a quelques mois. Elle ne voit pas son père aussi souvent qu'elle le souhaiterait, ses blagues lui manquent. Sa mère est occupée par son travail ou par les travaux à faire dans l'appartement. En plus, Chloé s'adapte difficilement à sa nouvelle école. Elle est convaincue que ses enseignants ne l'aiment pas et des filles de l'école se moquent d'elle. Elle tente de faire comme si de rien n'était, mais ce n'est pas facile. Elle pleure beaucoup. Tout semble aller de travers.

Chloé décide de parler à sa sœur, Maude, qui lui dit qu'elle écrit dans son journal intime presque tous les jours. Elle écrit d'abord tout ce qui est arrivé d'horrible et tout ce qui l'a agacée durant la journée. Puis elle écrit une chose positive. Selon Maude, le fait de trouver une seule bonne chose lui fait du bien. Les paroles de Maude aident Chloé à comprendre que même les petites choses peuvent être positives.

Peu de temps après, Maude offre à Chloé un cadeau pour son anniversaire. C'est un grand cahier, qu'elle pourra utiliser comme journal intime. Maintenant, Chloé écrit tout ce qui est arrivé de négatif et au moins une chose positive tous les jours.

Voici le premier point positif que Chloé écrit dans son journal : « J'ai de la chance d'avoir ma sœur Maude à qui parler. »

On a tous des bons jours et des mauvais jours. Si les parents se séparent, il semble parfois qu'il y a beaucoup de mauvaises journées.

Faire comme Chloé et penser à un point positif peut t'aider. Chloé s'est ainsi aperçue que le fait d'avoir pu garder son chat après le divorce de ses parents a été une bonne chose. La dernière fois qu'elle a rendu visite à sa tante, celle-ci l'a laissée faire des biscuits; c'est aussi une bonne chose. Quand sa grande sœur lui permet d'écouter sa musique, c'est encore mieux. Chloé songe à se joindre à l'équipe de natation de l'école; cela lui permettra de s'amuser encore plus.

**TOUT N'EST PAS PARFAIT, MAIS TU POURRAS TROUVER DES PISTES DE SOLUTIONS.**

Si tu ne réussis jamais à trouver un point positif à écrire et que tu es triste pendant longtemps (quelques semaines), parle à tes amis et dis à un adulte en qui tu as confiance à quel point tu te sens déprimé. Un médecin pourrait peut-être t'aider.

# Annexe 1 : Activités

## ACTIVITÉ 1 :

### Écris une lettre

Écrire une lettre est un bon moyen de démêler nos émotions. Tu souhaites peut-être écrire une lettre à chacun de tes parents pour leur dire ce que tu ressens à propos de leur séparation. Tu n'es pas obligé d'envoyer les lettres. Le simple fait de mettre par écrit ce que tu penses et ce que tu ressens peut t'aider.

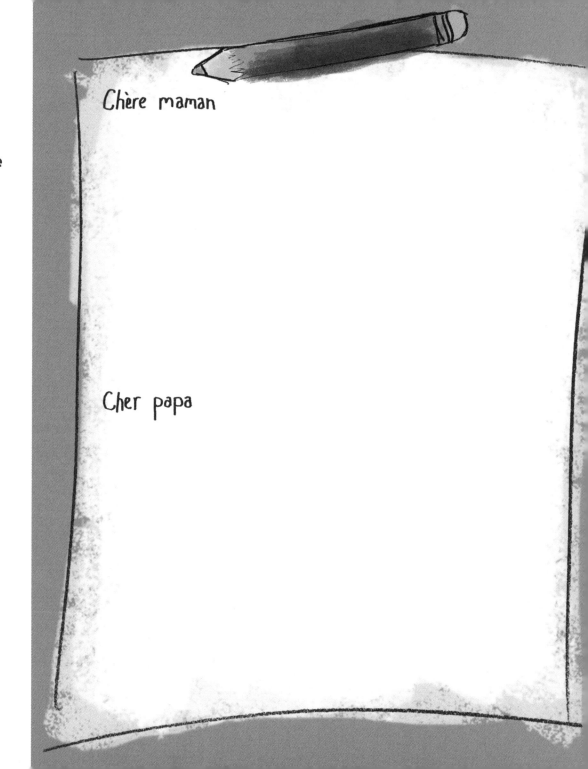

Chère maman

Cher papa

Ce que je veux demander à ma mère :

Ce que je veux demander à mon père :

## ACTIVITÉ 2 :

## Demande à maman et papa

Si des changements importants se produisent dans ta famille, il y a probablement de nombreuses questions que tu aimerais poser à tes parents. Pour t'aider, tu peux te faire une liste de questions.

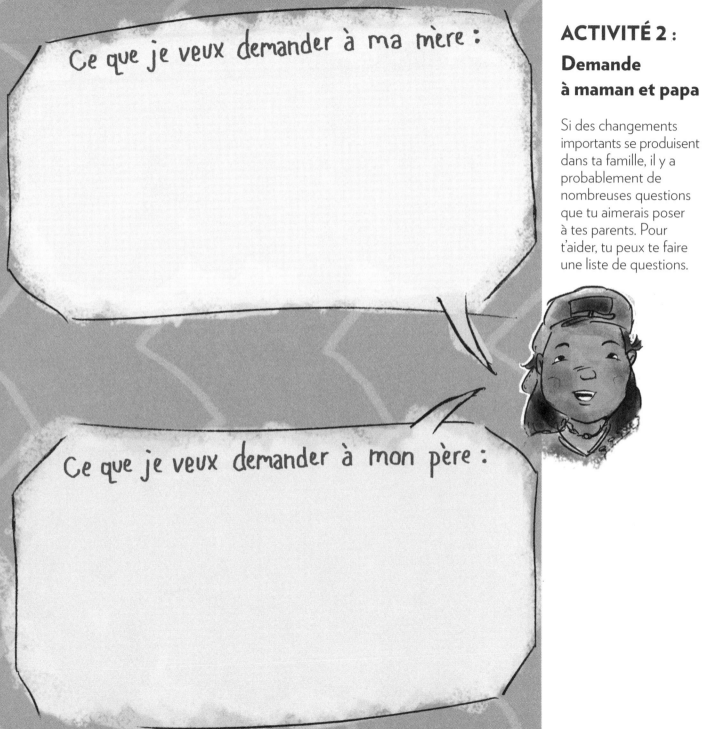

## ACTIVITÉ 3 :

### Dessine ta famille

Fais un dessin de ta famille. Ou bien fais un dessin de ce que tu ressens à propos de la séparation de tes parents. Dessine dans le cadre ou sur une feuille à part.

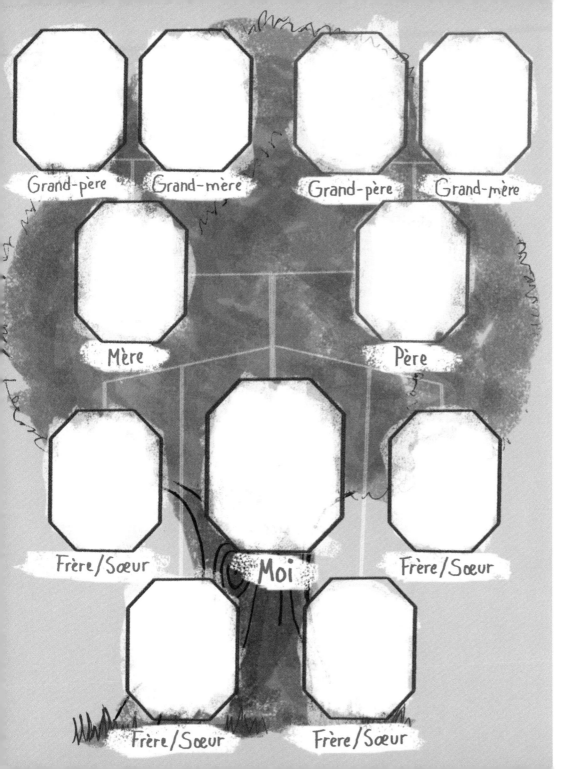

Grand-père    Grand-mère    Grand-père    Grand-mère

Mère      Père

Frère/Sœur      Moi      Frère/Sœur

Frère/Sœur      Frère/Sœur

## ACTIVITÉ 4 :

## Dessine ton arbre généalogique

Un arbre généalogique est une figure où sont inscrits ton nom et celui des autres membres de ta famille — tes proches plus âgés et même les bébés. Au besoin, renseigne-toi auprès des membres de ta famille.

Inscris les noms des membres de ta famille, incluant les beaux-parents, demi-sœurs et demi-frères.

Si tu veux, tu peux dessiner ou insérer une photo des membres de ta famille dans les boîtes. Tu peux même ajouter des boîtes si tu veux.

## ACTIVITÉ 5 :

### Mots cachés

Trouve ces mots dans la grille :

Garde       École

Parent      Visite

Temps       Enfants

Famille      Juge

Aide        Animal

Maison

| E | F | A | M | I | L | L | E |
|---|---|---|---|---|---|---|---|
| G | N | O | S | I | A | M | T |
| A | I | D | E | P | N | T | I |
| R | E | I | J | A | I | E | S |
| D | B | A | L | R | M | M | I |
| E | L | O | C | E | A | P | V |
| D | G | I | M | N | L | S | C |
| J | U | G | E | T | P | F | K |
| O | S | T | N | A | F | N | E |

### Jeu de mots

Démêle les lettres pour reformer les mots :

Réponses à la p.57

1. issmona = _____

2. rdage = _____

3. rapnet = _____

4. guej = _____

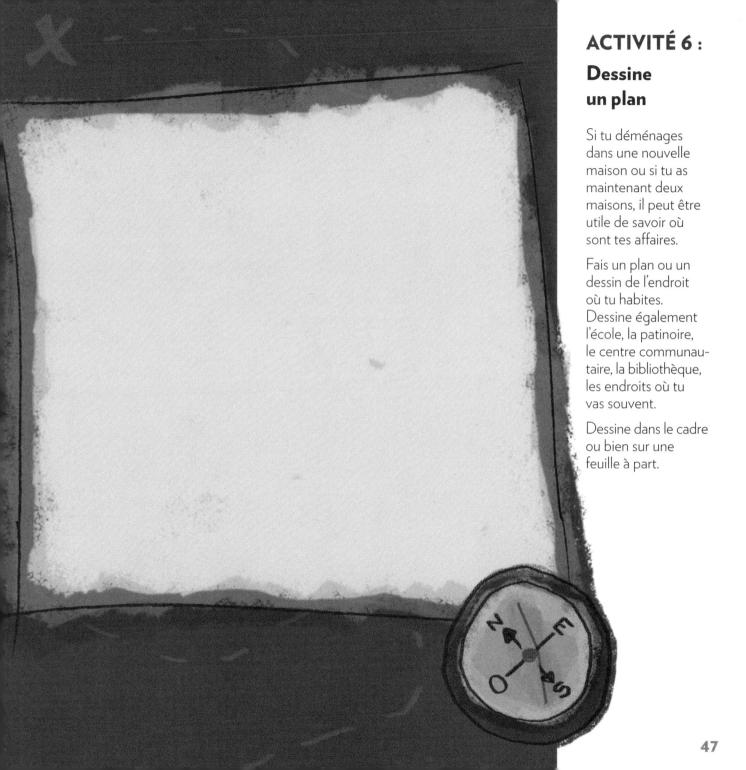

## ACTIVITÉ 6 :

### Dessine un plan

Si tu déménages dans une nouvelle maison ou si tu as maintenant deux maisons, il peut être utile de savoir où sont tes affaires.

Fais un plan ou un dessin de l'endroit où tu habites. Dessine également l'école, la patinoire, le centre communautaire, la bibliothèque, les endroits où tu vas souvent.

Dessine dans le cadre ou bien sur une feuille à part.

## ACTIVITÉ 7 :

## Où sont mes affaires ?

Peut-être as-tu deux maisons à présent. Fais la liste de ce dont tu as besoin dans chaque maison. Tu peux aussi faire la liste de ce que tu mettras dans un sac, peu importe où tu t'en vas.

Ces listes t'aideront à te rappeler les choses importantes que tu veux avoir avec toi, où que tu sois.

Tu peux faire une nouvelle liste chaque semaine, si tu le souhaites.

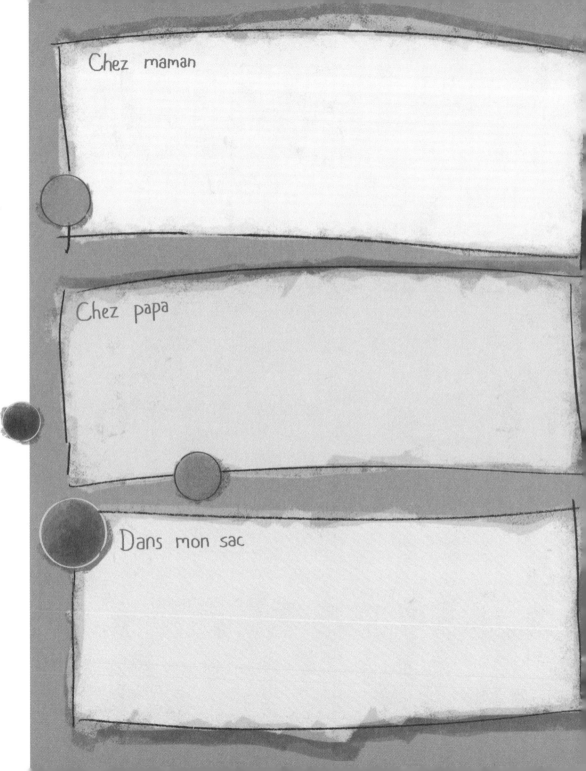

Chez maman

Chez papa

Dans mon sac

| Dimanche | Lundi | Mardi | Mercredi | Jeudi | Vendredi | Samedi |
|---|---|---|---|---|---|---|
|  |  |  |  |  |  |  |
|  |  |  |  |  |  |  |
|  |  |  |  |  |  |  |
|  |  |  |  |  |  |  |
|  |  |  |  |  |  |  |

## ACTIVITÉ 8 :

### Que se passe-t-il ?

Se souvenir de tout peut être difficile. Tu peux t'aider en inscrivant tout sur un calendrier. Écris à quel endroit tu vas habiter, à quelle date tu y seras et les activités spéciales qui auront lieu bientôt avec les différents membres de ta famille.

Pour le mois de

_____

Jan 23

SUITE ▶

## Que se passe-t-il ?

Détache cette page et apporte-la avec toi !

Pour
le mois de

_____

| Dimanche | Lundi | Mardi | Mercredi | Jeudi | Vendredi | Samedi |
|----------|-------|-------|----------|-------|----------|--------|
|          |       |       |          |       |          |        |
|          |       |       |          |       |          |        |
|          |       |       |          |       |          |        |
|          |       |       |          |       |          |        |
|          |       |       |          |       |          |        |

Nom :

Téléphones

Maison :

Cellulaire :

Travail :

Courriel :

Adresses :


Nom :

Téléphones

Maison :

Cellulaire :

Travail :

Courriel :

Adresses :


Nom :

Téléphones

Maison :

Cellulaire :

Travail :

Courriel :

Adresses :


Nom :

Téléphones

Maison :

Cellulaire :

Travail :

Courriel :

Adresses :


## ACTIVITÉ 9 :

### Comment rester en contact ?

Il y a tellement de numéros de téléphone et d'adresses que tu n'arrives pas à tout retenir ? Pourquoi n'écris-tu pas les numéros de téléphone et les adresses (y compris les adresses de courriel) de tes parents, tes grands-parents, tes frères, tes sœurs et des autres personnes importantes pour toi ? Tu sauras alors comment les joindre.

Tu peux conserver cette feuille avec toi pour toujours savoir comment joindre les membres de ta famille.

SUITE ▶

## Comment rester en contact ?

Détache cette page et apporte-la avec toi !

Nom :

Téléphones
   Maison :
Cellulaire :
   Travail :

Courriel :

Adresses :

Nom :

Téléphones
   Maison :
Cellulaire :
   Travail :

Courriel :

Adresses :

Nom :

Téléphones
   Maison :
Cellulaire :
   Travail :

Courriel :

Adresses :

Nom :

Téléphones
   Maison :
Cellulaire :
   Travail :

Courriel :

Adresses :

Mon histoire

## ACTIVITÉ 10 :
## Écris ta propre histoire !

Pourquoi ne pas écrire ta propre histoire ? Essaie d'utiliser au moins quatre mots de la liste qui suit :

- déménagement
- divorce
- famille
- juge
- amour
- disputes
- école
- chat, chien ou autre animal de compagnie
- amis
- sentiments
- séparés
- frère
- sœur
- enseignant
- entraîneur
- mère
- père
- tante
- oncle
- avocats

SUITE !▶

## Écris ta propre histoire !

La longueur de ton texte n'a pas d'importance, alors utilise cette page pour continuer ton histoire.

Mon histoire

Exemples
- Avoir un animal de compagnie
- Aller manger de la pizza avec ta grande sœur ou ton grand frère
- Recevoir un courriel d'un membre de ta famille que tu ne vois pas souvent
- Faire du vélo avec des amis
- Te joindre à l'équipe de natation ou t'inscrire à un club
- Lire un bon livre emprunté à la bibliothèque
- Suivre le cours de garde d'enfants à l'école pour gagner un peu d'argent et t'acheter ce qui te fait plaisir
- Penser à ce que tu aimerais faire quand tu seras adulte

Ma liste

## ACTIVITÉ 11 :

### Trésors cachés

Fais la liste de ce que tu aimes faire ou de ce qui te remonte le moral quand tu es triste.

Essaie de penser à des choses auxquelles tu n'as jamais pensé.

## ACTIVITÉ 12 :
### Et après ?

Fais la liste de
ce que tu attends
avec impatience.
Par exemple, tu as
peut-être hâte d'aller
rendre visite à des
membres de ta
famille, de fêter
ton prochain
anniversaire, d'aller
en voyage avec ta
famille, de revoir
un ami, d'aller un jour
dans une école en
particulier ou
d'apprendre à
conduire quand tu
seras plus grand.

| | | | | | | | |
|---|---|---|---|---|---|---|---|
| E | F | A | M | I | L | L | E |
| G | N | O | S | I | A | M | T |
| A | I | D | E | P | N | T | I |
| R | E | I | J | A | I | E | S |
| D | B | A | L | R | M | M | I |
| E | L | O | C | E | A | P | V |
| D | G | I | M | N | L | S | C |
| J | U | G | E | T | P | F | K |
| O | S | T | N | A | F | N | E |

1. issmona = _maisons_

2. rdage = _garde_

3. rapnet = _parent_

4. guej = _juge_

# Annexe 2 : Pour plus de renseignements

## Renseignements pour les enfants

### Livres

**Voici une liste de livres intéressants que tu pourrais trouver à l'école ou à la bibliothèque de ton quartier. Ils sont peut-être également en vente dans une librairie près de chez toi.**

*Ma petite vache a mal aux pattes*, Tibo, Gilles, Saint-Lambert (Québec), Soulières, 2003.

*Le cœur en compote*, Chagnon, Gaëtan, Saint-Laurent (Québec) : Pierre Tisseyre, 1997.

*Tu seras toujours mon papa*, Brœre, Rien, Montréal, École active, 1997.

*La ronde des familles*, Dumont, Virginie et Bernard Soria, Arles (France), Actes Sud Junior, 1997.

*Courage, Lili Graffiti !* Danziger, Paula, Paris, Gallimard Jeunesse, 2003.

*Mes parents se séparent*, Saladin, Catherine, Paris, Éditions Louis Audibert, 2002.

*Sophie, l'apprentie sorcière*, Major, Henriette, Saint-Lambert (Québec), Éditions Héritage, 1993.

*Ani Croche*, Gauthier, Bertrand, Montréal, Éditions de la Courte Échelle, 1985.

*Le divorce et la séparation*, Sanders, Pete, Montréal, École active, 1998.

*On divorce. La vie continue*, Corgibet, Véronique, Toulouse, Éditions Milan (France), 2002.

*Touche pas à mon père*, Cahour, Chantal, Paris, Hatier, 2000.

*La boîte à bonheur*, Gingras, Charlotte, Montréal, La Courte échelle, 2003.

*Les miens aussi divorcent ! Avant, les disputes. Pendant, les conflits. Et après ?* Cadier, Florence, Paris, De la Martinière Jeunesse, 1998.

*Le divorce expliqué à nos enfants*, Lucas, Patricia et Stéphane Leroy, Paris, Seuil, 2003.

### Sites Internet

**Voici quelques sites que tu peux consulter si tu as accès à un ordinateur et à Internet.**

*Site des enfants sur la séparation et le divorce*
Ministère du procureur général de la Colombie-Britannique
http://www.familieschange.ca/enfants/index.htm

*Ministère de la Justice — site Web pour les jeunes*
www.laviolencefamilialefaitmal.gc.ca

*Où est ma place ? Guide juridique de la séparation et divorce à l'usage des enfants*
Ministère du procureur général de l'Ontario
http://www.attorneygeneral.jus.gov.on.ca/french/family/wheredoi.asp

*Quand les parents se séparent*
Educaloi
http://www.educaloi.qc.ca/jeunes/droit_civil/divers/343/

*Vie familiale : séparation, divorce, garde/adaptation*
Jeunesse, J'écoute (1-800-668-6868)
http:// www.jeunessejecoute.ca/fr

*A Kid's Guide to Divorce* (en anglais seulement)
Nemours Foundation
http://kidshealth.org/kid/feeling/home_family/divorce.html

*It's Not Your Fault* (en anglais seulement)
NCH
http://www.itsnotyourfault.org/

# Annexe 2 : Pour plus de renseignements

## Renseignements pour les parents

### Livres

*Les enfants face au divorce*, Pierre Janin, Deuil-la-Barre (France), Éditions de la Lagune, 2006.

### Sites Internet

Le rôle parental après le divorce
http://canada.justice.gc.ca/fr/ps/pad/index.html

Parce que la vie continue
http://www.phac-aspc.gc.ca/publicat/mh-sm/divorce/index_f.html

http://www.phac-aspc.gc.ca/publicat/mh-sm/pdf/booklet_f.pdf

L'initiative de lutte contre la violence familiale
http://www.phac-aspc.gc.ca/ncfv-cnivf/violencefamiliale/initiative_f.html

Quand un couple se sépare
http://www.separation-divorce.info.gouv.qc.ca

http://www.enfanceapetitspas.com/parents/divorce/articles-divorce.htm

# Annexe 3 : Explication des mots

Note : **Nous expliquons ci-dessous des termes que nous avons utilisés dans le livret et dont se servent peut-être tes parents ou d'autres enfants dont les parents sont séparés. Ces explications peuvent t'aider à comprendre ces termes, mais ce ne sont pas des définitions juridiques complètes. Si tu veux des définitions plus complexes mais plus exactes, demande à un adulte de ton entourage de consulter un dictionnaire juridique.**

Accès (ou droit de visite) : Le juge peut déterminer à quel moment et à quelle fréquence celui de tes parents qui n'a pas la garde peut te voir.

Affidavit : Description spéciale, par écrit, de ce qui s'est produit dans ta famille. Habituellement, les avocats aident les parents à rédiger l'affidavit. Chacun de tes parents prépare le sien et le signe, pour indiquer qu'il est d'accord avec ce qui est écrit et que ce qui a été dit est la vérité. Puis l'affidavit est remis au juge pour qu'il puisse en prendre connaissance.

Contacts personnels : Le temps que tu passes avec des personnes autres que tes parents, par exemple, tes grands-parents, une tante, un oncle, un ami très proche de la famille, parce que c'est important pour ton bien-être.

**Divorce :** Des parents qui étaient mariés et qui sont séparés depuis un certain temps (parfois longtemps) peuvent obtenir le divorce. Lorsque les parents divorcent, le juge leur remet un document indiquant qu'ils ne sont plus mariés. Après avoir divorcé, les parents peuvent se remarier avec quelqu'un d'autre.

**Engagement de ne pas troubler la paix :** Ordonnance du juge qui interdit à quelqu'un qui a été violent de s'approcher de certains endroits comme la maison familiale, l'école d'un enfant ou le lieu de travail d'un parent. Le fait de ne pas respecter un tel engagement est une infraction criminelle.

**Entente parentale :** Après leur séparation, tes parents doivent prendre des décisions à ton sujet. L'entente est souvent mise par écrit ; elle précise en général le temps que tu passeras avec chacun de tes parents et ce que tes parents feront pour prendre soin de toi.

**Évaluateurs, conseillers, travailleurs sociaux, psychologues, psychiatres :** De nombreuses personnes autres que les avocats peuvent conseiller et aider les membres d'une famille quand celle-ci doit faire face aux changements qui surviennent après un divorce. Ces personnes font toutes un travail différent, elles portent des titres différents, mais elles sont toutes là pour écouter et pour aider.

 **Garde :** Celui de tes parents qui a ta garde doit prendre soin de toi et t'élever jusqu'à ce que tu sois adulte. Si tes deux parents ont la garde, on dit que la *garde* est *conjointe*.

**Garde conjointe :** Tes deux parents ont dans ce cas la responsabilité légale de décider ensemble de l'endroit où tu vis, de l'école que tu fréquentes, de tes activités et ta santé. Tu peux vivre la plupart du temps avec l'un de tes parents ou bien une partie du temps avec chacun de tes parents.

**Garde exclusive :** Un de tes parents a dans ce cas la responsabilité légale de s'occuper de toi et décide de ton école, de tes activités, de ta santé.

**Intérêt (ou intérêt supérieur de l'enfant) :** Toutes les personnes (les juges, tes parents, les médiateurs, les tuteurs, les avocats et les spécialistes) qui prennent part à la décision au sujet de l'endroit où tu vivras après la séparation de tes parents doivent tenir compte de ce qui sera le mieux pour toi. Par exemple :

- Le type de relation que tu avais avec chacun de tes parents avant leur séparation;
- Tes besoins physiques et affectifs;
- La capacité de tes parents de prendre soin de toi et de prendre les bonnes décisions;
- Ta culture, ta langue et ta religion;
- Ton avis au sujet de l'entente qu'ils veulent conclure;
- Beaucoup d'autres points qui sont importants pour toi !

**Juge :** La personne qui, au tribunal, prend les décisions au sujet des ententes parentales, des versements de la pension alimentaire pour les enfants et du lieu où ils vont vivre.

**Loi :** Ensemble de règles dont les gens se servent pour régler des désaccords entre eux.

# Annexe 3 : Explication des mots

**Loi sur le divorce :** Loi qui indique aux parents, aux avocats et aux juges les règles à suivre quand les parents divorcent.

**Médiation :** Façon de discuter des problèmes et de réfléchir à des solutions pour les régler. Le médiateur dirige les séances de médiation, un peu comme l'entraîneur au hockey ou au baseball. Il aide tes parents à travailler en équipe en leur donnant des moyens de se parler et de faire des changements.

**Ordonnance (par exemple, *ordonnance civile de protection, ordonnance de prévention, d'intervention d'urgence, d'injonction, d'aide à la victime, de non-communication*) :** Décision de justice, rendue par le juge et obligeant quelqu'un à faire quelque chose ou au contraire le lui interdisant. Par exemple, une ordonnance peut interdire à l'auteur d'actes de violence d'entrer en contact avec sa victime ou avec les enfants de celle-ci ou de s'approcher de lieux précis comme la maison familiale, l'école d'un enfant ou le lieu de travail d'un parent.

**Ordonnance (ou jugement) :** Décision écrite que rend le juge. Il y indique ce que chacun peut ou ne peut pas, doit ou ne doit pas faire. Le jugement peut être modifié. Pour ce faire, il faut retourner voir le juge et le lui demander, mais il faut avoir de bonnes raisons.

**Ordonnance sur consentement :** Tes parents se sont mis d'accord par écrit sur certains points, et le juge signe leur document d'entente.

**Pension alimentaire pour enfant :** C'est l'argent que l'un des parents donne à l'autre pour l'aider à payer le loyer, ta nourriture et tes vêtements. Le juge prépare l'*ordonnance alimentaire*, il y indique le montant à verser pour la nourriture, les vêtements et les autres frais liés à tes besoins.

**Protection de l'enfance :** Si des parents ne peuvent pas prendre soin de leurs enfants comme il se doit, des travailleurs de la protection de l'enfance peuvent se charger de les protéger et de s'occuper de leur santé physique et de leur équilibre émotionnel.

**Séparation :** Quand les parents qui ont vécu ensemble décident qu'ils ne veulent plus vivre ensemble, on dit qu'ils se séparent, qu'ils sont séparés.

**Système juridique :** Façon dont les gens se servent des lois (règles) pour que tous soient traités de manière équitable. Les policiers, les avocats et les juges, notamment, font partie du système juridique.

**Témoigner :** Dire au juge ce qui t'es arrivé ou ce que tu as vu. Tu pourrais devoir jurer sur la Bible ou promettre que tu diras la vérité et que tu n'inventeras pas d'histoires.

Sur quoi les extraterrestres posent-ils
leur tasse à café ?

Sur des soucoupes volantes.

Que mange le bonhomme de neige
au petit déjeuner ?

Des flocons de neige.